Günter Grass
Totes Holz

Ein Nachruf

Steidl

1. Auflage August 1990

Buchgestaltung: Günter Grass und Gerhard Steidl
© 1990 by Steidl Verlag, Göttingen
Alle Rechte vorbehalten
Satz, Lithographie, Druck: Gerhard Steidl, Göttingen
Bindung: Hollmann, Darmstadt
Printed in Germany
ISBN 3-88243-155-5

Jacob und Wilhelm Grimm
nachgerufen

Leibhaftig Buchen! (Mein Großvater, ein Tischlermeister, der Fehl

en rauchte, hätte geweint: so viele Festmeter Langholz nutzlos dahin.)

Radikal: Was mit den Wurzeln ans Licht kam. (Ein Artikel über das Waldsterben endet mit dem Wort Panikblüte.)

Der Forschungsbeirat »Waldschäden/Luftverunreinigungen« stellte bereits in seinem 2. Bericht von 1986 fest, daß infolge der Schadstoffeinträge eine Versauerung der Waldböden auf großer Fläche angenommen werden muß und der Waldboden sich zunehmend als Risikofaktor für die heutige und künftigen Waldgenerationen erweist.

(Waldzustandsbericht des Bundesministeriums für Landwirtschaft und Forsten, 1989)

Hier sieht es noch relativ aus.
(Unsere Waldschädenerhebungs-
stelle legt, wie gewohnt
pünktlich, ihren Herbstbericht
vor: Im Vergleich zum Vorjahr
nimmt die Zahl kranker Buchen
langsamer zu als befürchtet,
wenngleich von einem Rückgang
der Schäden nur halblaut
geträumt werden darf.)

Wie kürzlich in Frankfurt die Börsenkurse. Aber die Werte dort erholt

h später, während die Aktien hier nur noch von mir notiert werden.

Die Eule, die aus dem Kamin fiel, nun kalt und m

bsicht zwischen Bäume gelegt, die wie zufällig liegen.

Der Länge nach hin.
Denen ist Frühling und
Herbst einerlei mittlerweile.
Im Umbruch begriffen:
die neue Landschaft.
Kahlschlag? Nun ja.
Doch mehr Aussicht seitdem.

Der Länge nach hin

Das kommt davon:
Silbenschwund, Lautverfall.

Mühsam, aus vergangener Sprache
buchstabieren die Kinder:
»Über allen Wipfeln…«
bis:»Warte, nur balde…«

Bisherige Forschungsergebnisse legen den Schluß nahe, daß sich Nährstoffmangel, Nährstoffungleichgewichte und Säurestreß gravierend auf das Wurzelwachstum auswirken. Vielfach konzentrieren sich in derart belasteten Gebieten die Feinwurzeln im Oberbodenbereich, was wiederum erhöhte Anfälligkeit gegenüber Trockenheit, mechanischen Einwirkungen durch die Holzernte und Windeinflüssen zur Folge haben dürfte. Weiterhin ergibt sich bei fortschreitender Versauerungsfront in die Tiefe ein erhebliches Risiko hinsichtlich der Versauerung sowie Aluminium- und Schwermetallbelastungen des Grund- und Quellwassers.

(Waldzustandsbericht des Bundesministeriums für Landwirtschaft und Forsten, 1989)

Neben bekannten Aufforde

ngen als Mauerinschrift nun diese: Bäume raus!

Ein Birkenwäldchen – zu licht!
Oder was Förster sich über
geballte Wolken erzählen.
Oder ein Wortfeld umpflügen:
Waldesruh, Waldschrat,
Hochwald, Graf Waldersee, nun
dunkeln alle Wälder,
Buchenwald, die Waldheim-Affäre,
Tannhäuser, waldig, Wald.

Ferien in Dänemark: mit
Klappstuhl, Mückenstift,
Hund und kalter Pfeife
täglich in den Wald gehen
und totes Holz zeichnen.

Nach den bisherigen Forschungsergebnissen sind
Luftverunreinigungen eine wesentliche Ursache der
komplexen Erkrankung der Wälder. Die wichtig-
sten auf den Wald einwirkenden Schadstoffe sind
Schwefeldioxid (SO_2) und Stickoxide (NO_X) aus Ver-
brennungsprozessen einschließlich der daraus in
der Luft sich bildenden Säuren und Photooxidan-
tien sowie Ammoniak (NH_3), vor allem aus der
Landwirtschaft. Besonders hervorzuheben ist, daß
sich die Schadstoffe in ihrer Wirkung gegenseitig
verstärken können.

(Waldzustandsbericht des Bundesministeriums für Landwirtschaft und Forsten, 1989)

Zwischen
weiteren
Verlustanzeigen:
hier, genau hier haben
sich Hänsel und Gretel verlaufen.

Auf halber Höhe die
Birken gekappt. So hoch
springt der Frosch, ledern
vom Vorjahr, aus meiner
Schachtel, die alles
sammelt, was abfiel.

Auf halber Höhe
die Birken gekappt.
So hoch springt kein Frosch,
leder vom Vorgang,
aus meiner Schachtel
die alles sammelt,
was abfällt.

Den Birkenpilzen nach Tschernobyl sieht ma

ichts an; und auch wir sehen uns unverändert.

Den Wald vor

…men nicht sehen – und weitere Sprichwörter.

»Freie Fahrt für freie Bürger!«

ließ, auf Wunsch seiner Mitglieder,
der Allgemeine Deutsche Automobil

b (ADAC) ins Grundgesetz schreiben.

Charakteristisch ist, daß in den meisten betroffenen Forstbetrieben Einbußen aufgrund mehrerer Schadenskriterien entstehen. Zu den bekannten Verlustquellen zählen:

- Mindererträge durch kleinere Verkaufsmengen mit nicht optimaler Sortierung, verstreute Lagerung, sekundäre Entwertung des immissionsbedingten Holzeinschlags sowie Ausfall von Nebennutzungen, wie Weihnachtsbäume, Zierreisig und so weiter.
- Mehraufwendungen durch verstreuten Hiebsanfall, arbeitsintensivere Aufarbeitungs- und Bringungsverfahren, erhöhte Kultur-, Pflege-, Forstschutz-, Düngungs- und Verwaltungskosten.
- Verluste durch den Einschlag nicht hiebsreifer Bäume wegen Nichterreichens von Zieldurchmessern (Verkürzung der Umtriebszeit).
- Zuwachsrückgänge durch vermindertes Wachstum geschädigter Bäume.

Vor allem in stark gefährdeten Beständen in den Problemgebieten der Mittelgebirge und Alpen greifen Zuwachsrückgänge und Hiebsunreifeverluste in die Vermögenssubstanz ein.

(Waldzustandsbericht des Bundesministeriums für Landwirtschaft und Forsten, 1989)

Zum Stillstand verdonnert, vom Fortschritt erschlagen. (Aber Brombeerer

ab es in diesem Sommer groß wie Knupperkirschen.)

Was im toten Holz lebt: außer dem Borkenkäfer

Hang, wo sie auch liegen, Leichen zu fleddern.

Im Verlauf der Jahre seit 1984 hat sich zwischen Nadelhölzern und Laubhölzern eine scherenartige Gegensätzlichkeit in der Entwicklung der neuartigen Waldschäden ergeben.
Nach einem Schadenshöhepunkt bei Kiefer und Fichte im Jahre 1984 beziehungsweise 1985 war bis 1989 eine kontinuierliche Abnahme der mittleren und starken Schäden zu verzeichnen (Fichte von 23,9 Prozent auf 13,5 Prozent; Kiefer von 20,9 Prozent auf 11,1 Prozent). Dagegen haben im selben Zeitraum die Schäden bei Buche und Eiche auf etwa das doppelte Niveau von Kiefer und Fichte stetig zugenommen (Buche von 11,4 Prozent auf 21,7 Prozent, Eiche von 8,9 Prozent auf 25,7 Prozent).

(Waldzustandsbericht des Bundesministeriums für Landwirtschaft und Forsten, 1989)

Schwarzsehen – oder den Dichter Handke um heilende Wörter bitten.

Exhibitionisten unter sich:
zeigen schamlos die Wurzel
vor.

Was lange verboten war:
in Form von Nachrufen
findet nun ein Gespräch
über Bäume statt.

Leicht verbessert (−1,1 %-Punkte) hat sich der Zustand von Fichte und Kiefer (Schadstufen 2–4). Nahezu unverändert sind die mittleren und starken Schäden bei der Tanne und den sonstigen Nadelbäumen. Deutlich zugenommen hat dagegen das ohnehin hohe Niveau der mittleren und starken Schäden bei allen Laubbaumarten, insbesondere bei der Buche (+ 4,8 %-Punkte).

Im Datengehege den Durchblick verloren. Oder des Försters Traum: vorzeitig geht er in Rente.

Die Tanne ist trotz der Verbesserungen in den letzten Jahren mit 44 Prozent mittleren und starken Schäden nach wie vor die am stärksten geschädigte Baumart, gefolgt von der Eiche mit 25,7 Prozent. Ebenfalls überdurchschnittlich geschädigt ist die Buche (21,7 Prozent). Dagegen liegen Fichte (13,5 Prozent) und Kiefer (11,1 Prozent) unter dem Bundesdurchschnitt.

(Waldzustandsbericht des Bundesministeriums für Landwirtschaft und Forsten, 1989)

Wortbruch,

dazwischen ein Birkentorso.

Hier, genau hier riß sich
Rumpelstilzchen sein Bein aus.

Beim Zählappell: Strichlisten.
Und Kahlschlag in unseren Köpfen.
Ach was, die Natur wird sich schon
zu helfen wissen.

(Mein lieber Wilhelm, ein gut Teil Dei-
ner mit Fleiß gesammelten Märchen,
diesen wahren Hausschatz, wirst Du
wohl umschreiben müssen, derweil die
Wälder in ihrem jetztzeitigen Zustand
nicht weiter Versteck sein wollen. Doch
könnten – tröste Dich! – großräumige
Parkplätze, vielstöckige Kaufhäuser
oder Müllhalden am Rand der Städte
zum Verlaufen einladen und den klei-
nen wie großen Kindern Ersatz bieten.

Deine Bettina)

Säge die Bäume ... schüttel die Bäume

Wanderer, du hast sie liegen sehn, wie das Gesetz es befahl.

Durchsichtig, demnächst gläsern,
wie die Taschen der Volksvertreter.

Nicht mehr wird strammgestanden.
Den Kiefern ihr Preußentum austreiben.

Immer aufrecht, gut erzogen.
Sachlage nun. Wegräumen!

aufrecht, später zogen
Immer aufrecht, später zogen
Schläge um Wegräumen!

So licht geträumt
– lyrischer nie –
gelingen die Wälder.
Schlanker noch als gedacht,
spröde dem nächsten Wind übers Knie.

Am Waldrand starr...

Doch wirtschaftlich geht es uns bestens.

Im Wald laut rufen.

(Das war kurz vor Honeckers Sturz,
als ich, abseits der Hauptwege
im Ulfshale skov, wieder einmal
verlorenging.)

Dem folgt kein Gesang (aber Orkane, folgericht

eschleunigt, seitdem das Wetter verrückt spielt).

Hier gilt noch immer
der alte Köhlerglaube:
Es ist ja genug da.

Trotz der durch Bund und Länder erreichten Reduktion der Emissionen, insbesondere von Schwefeldioxid, hat sich die Schadstoffkonzentration in der Luft noch nicht in einem für die Erhaltung der Wälder wünschenswerten Ausmaß verringert. Ursache hierfür sind einerseits die grenzüberschreitenden Immissionen, andererseits die gestiegenen Emissionen aus dem Verkehrsbereich. Vor allem im östlichen Bereich der Bundesrepublik Deutschland sind temporär Spitzenbelastungen (SO_2) aufgetreten.

(Waldzustandsbericht des Bundesministeriums für Landwirtschaft und Forsten, 1989)

Ich zwischen totem Holz. Maulfaul inzwischen

s spricht ja alles für sich; allenfalls Untertitel.

Deutscher Export:

Hochleistungskettensägen der Firma
Stihl, nun endlich umweltfreundlich
mit Katalysator. (Warum weit reisen in
ferne Regenwälder, durch die uns
gefahrlos das Fernsehen führt, wenn
gleich hinterm Haus, wo Mischwald
dicht ansteht, das Nadelholz aufgibt:
zusehends – doch wer mag noch
zusehen?)

Zwar hat der Borkenkäferbefall bei der Fichte geringfügig zugenommen; für alle Schaderreger
gemeinsam ergibt sich aber dort keine Änderung gegenüber dem Vorjahr. Bei Kiefer und Tanne
wurden die Anzeichen von Borkenkäferbefall ebenfalls geringfügig häufiger beobachtet als im Vorjahr. Vermutlich läßt sich die leicht zunehmende Tendenz des Borkenkäferbefalles auf den für die
Käfer günstigen Witterungsverlauf 1989 zurückführen.
(Waldzustandsbericht des Bundesministeriums für Landwirtschaft und Forsten, 1989)

Schon lange vor Leipzig: von Montag zu Montag knicken sie ein, abgestorben seit langem.

»Sägt die Bonzen ab, schützt die Bäume!«

(Transparentinschrift vom 4. November 1989, Berlin-Alexanderplatz.)

Schön bis zuletzt und frei endlich
vom gemeinen Nutzen.

Zu Fall gekommen,
bäumt er sich auf.

Doch stehen auf ersten Blick
noch Wälder genug herum.

Im Sinne einer umfassenden Umweltvorsorge wird ein verstärktes Augenmerk auf die Auswirkungen der vorhergesagten Klimaerwärmung zu richten sein. Sie werden für die Zukunft des Waldes weltweit ein entscheidendes Problem darstellen. Nach neuesten Modellrechnungen ist im nächsten Jahrhundert ein mittlerer Temperaturanstieg auf der Erde um 4 bis 10 °C nicht mehr unwahrscheinlich. Wenn es nicht gelingt, durch eine Reduktion der Treibhausgase und der Tropenwaldvernichtung diesen Anstieg drastisch zu bremsen, wird der Waldbestand in seiner jetzigen Form eine grundlegende Veränderung erfahren. Klimaänderungen und neuartige Waldschäden sind auf mehrfacher Weise verbunden. Die neuartigen Waldschäden tragen zur Verstärkung des Treibhauseffektes bei. Geschädigte Wälder weisen gegenüber zusätzlichen Streßfaktoren, wie Klimaänderungen, eine eingeschränkte Reaktionsfähigkeit auf.

(Waldzustandsbericht des Bundesministeriums für Landwirtschaft und Forsten, 1989)

Durch König Drosselbarts Wälder: w

in die deutsche Märchenstraße führt.

Alles so offensichtlich. Hast du noch Worte? Wo Deutschland an Deu

and grenzt, zeichnet sich die Wiedervereinigung als Kahlschlag ab.

Die Tanne ist mit 44,1 Prozent ihrer Fläche in den Schadstufen 2–4 nach wie vor die am stärksten
geschädigte Baumart. Der relativ starke Rückgang der mittleren und starken Schäden der Vorjahre
hat sich 1989 nicht weiter fortgesetzt.

(Waldzustandsbericht des Bundesministeriums für Landwirtschaft und Forsten, 1989)

Sprachlos die Kammlagen
im Erzgebirge und Harz,
weil auf unsere engstehenden Wörter
Regen fiel, den wir sauer nennen.

(Als Künstler aus Dresden hier
Schwarzweißfotos machten, um einen
Zustand zu dokumentieren, kam, von
Zinnwald herbeigerufen, die
Volkspolizei und schützte
Volkseigentum, indem sie Negative
beschlagnahmte; im nachhinein
zeichne ich auf: heimlich und positiv.)

Nach der Schlacht, die mitten im Frieden stattfand.

(Macbeth, fünfter Aufzug, fünfte Szene. Bo

. Ich schau nach Birnam zu, mir deucht, der Wald fängt an zu gehn.«

So heißen Ort-
schaften hier:

Hemmschuh,
Zinnwald,
Gottgetreu . . .

(Bei großflächigem
Abbau von Braun-
kohle für Heiz-
und sonstige Zwek-
ke, und während,
gebietsweise
rauchverhangen,
die Deutsche De-
mokratische Repu-
blik mit letzter An-
strengung vierzig
Jahre alt wird, wol-
len die Bäume –
Wir haben es satt! –
auswandern,
doch wohin?)

»Nach diesem Geschäfte ging ich noch auf dem Brocken spazieren.«

(Heine, Harzreise)

Oder ein Romanbeginn: Im Verlauf dieses unaufhörlichen Sommers, den wir vermutlich, wie andere Überraschungen auch, dem Treibhauseffekt verdanken, war wieder der Oberharz – mit Blick von Deutschland nach Deutschland – Ferienziel vieler Familien; aber auch Einzelgänger, wie jenen Jurastudenten, zog es von Göttingen weg hoch auf die Kammlagen ...

Insbesondere im Harz hat sich der in den Vorjahren zu beobachtende dramatische Anstieg der Schäden bei den über 60jährigen Beständen (+20,1 %-Punkte) nicht fortgesetzt. Hier haben die mittleren und starken Schäden um 3,3 %-Punkte auf 55,2 Prozent abgenommen. Trotzdem bleibt der Harz das von den neuartigen Waldschäden am stärksten betroffene Gebiet.

(Waldzustandsbericht des Bundesministeriums für Landwirtschaft und Forsten, 1989)

In einigen Gebieten haben die neuartigen Waldschäden ein so großes Ausmaß erreicht, daß sich auf Teilflächen Bestände bereits aufzulösen beginnen. *(Waldzustandsbericht des Bundesministeriums für Landwirtschaft und Forsten, 1989)*

Mit Glasnost in den Wäldern beginnen.

Sie hat sich angereichert. Übersatt regnet die Wolke ab, plaudert vom Harz literarisch, zit

t nur Goethe, auch Heine: »Wie ein guter Dichter liebt die Natur keine schroffen Übergänge.«

Die Eule angeschwärzt, bis sie belebt,
wieder belebt als Wolke über dem Wald
zum Bild wird im hölzernen Rahmen,
damit man – was? – deutlicher sieht.

Letzte Ausschüttung: Dividende. Von weit her kommt die Wolke, hält s

Grenzen nicht auf, bringt mit sich zollfrei. Die Wolke als Faust überm Wald.

Drüben die Tschechen!

(Schon im Jahr '38 und abermals '68 bewährte sich die Straße von Dresden über Zinnwald nach Prag; seitdem gilt sie als strategisch wichtig.)

Während die Mauer
löcherig wurde und viele
Menschen, um Jahrzehnte
gealtert, sich wiedersahen,
wuchs – ohne
Schlagzeilen zu machen –
unser aller Ozonloch,
dieser gänzlich humorlose
Spielverderber.

Weiterhin kritisch ist trotz einer leichteren Entspannung der Zustand in den Schadensschwerpunkten. Kennzeichnend für die schwierige Situation in diesen Gebieten ist, daß dort die neuartigen Waldschäden in hohen Lagen besonders gravierend sind. Insbesondere im Harz, Fichtelgebirge und Schwarzwald löst sich auf Kuppen und Rücken der Wald flächig auf.

(Waldzustandsbericht des Bundesministeriums für Landwirtschaft und Forsten, 1989)

Studienhalber
reiste mit seinem
Skizzenbuch von
Greifswald runter
ins Erzgebirge
Caspar David
Friedrich, der
Maler.

Die Wolke als Faust überm Wald

Ein Nachruf

Vom Sommer achtundachtzig bis in den Winter neunundacht-
zig hinein zeichnete ich, unterbrochen nur von den Tatsachen-
behauptungen des Zeitgeschehens, totes Holz. Ein Jahrzehnt
ging zu Ende, an dessen Anfang ich mit »Kopfgeburten – oder
Die Deutschen sterben aus« mein Menetekel gesetzt hatte;
doch was nun, Bilanz ziehend, unterm Strich stand, war keine
Kopfgeburt mehr: Anschaulich lagen Buchen, Kiefern, denen
das Strammstehen vergangen war, Birken, um ihr Ansehen gebracht, vordatiert die Hinfälligkeit der Eichen. Und bemüht,
diesen Ausdruck von Forstarbeit zu steigern, traten zu Beginn
des neuen Jahrzehnts kurz nacheinander Orkane auf, fünf an
der Zahl, gewillt, mit aufrechtem Baumbestand Mikado zu
spielen.

Es war wie Leichenfleddern. Hinsehen und festhalten. Oft
fotografiert und farbig oder schwarzweiß zur Ansicht gebracht,
blieb dennoch unglaubhaft, was Statistiken und amtliche Wald-
zustandsberichte bebildern sollte. Fotos kann jeder machen.
Wer traut schon Fotos!

Also zeichnete ich vor Ort: in einem dänischen Mischwald,
im Oberharz, im Erzgebirge, gleich hinterm Haus, wo Wald
dicht ansteht und das Nadelholz aufgegeben hat. Anfangs
wollte ich mich mit Skizzen begnügen und den feingesiebten
Rest, was man nicht sieht, was in Ausschüssen vertagt, in Gut-
achten und Gegengutachten zerredet oder im allgemeinen

Gequassel beschwiegen wird, aufschreiben, wie ich anderes, zuletzt den Alltag in Calcutta, aufgeschrieben hatte.

Aber über den Wald, wie er stirbt, steht alles geschrieben. Über Ursachen und Verursacher. Woran und wie schnell oder langsam er auf Kammlagen oder im Flachland krepiert. Was ihn retten, überhaupt oder teilweise retten könnte. Neue Wörter wie Panikblüte und Angsttrieb sind geläufig. Naßkernfäule. Gähnenswert und akzeptiert (wie der Graf mit dem Stock) ist die alltägliche Korruption. Und immer wenn die Waldschadenserhebung pünktlich im Herbst vorliegt, schweben Leitartikel und Kommentare ein, die zutiefst besorgt beginnen und jeweils vorm Schlußpunkt zu hoffen wagen. Alles – auch daß es gleichbleibend fünf vor zwölf ist – wird gesagt. Nichts muß verschwiegen werden. Wir leben in einem Land, dessen Freiheit geräumig ist; weshalb allen Bürgern (von Kindheit an) »freie Fahrt« zugesichert bleibt.

Maulfaul zeichnete ich vor Ort. Allenfalls Untertitel, mehr kürzere als längere, fielen ab. Bäume, die ihre Wurzeln zeigen, machen sprachlos. Was noch außer amen sagen? Grimms Wälder und wie sich Hänsel und Gretel im toten Wald verlaufen, waren schon zu Buch geschlagen. Allenfalls hätten sich im Oberharz Goethe und Heine herbeizitieren lassen, etwa am Dreieckigen Pfahl, der vormals Herzogtümern und Grafschaften Grenzstein gewesen ist. Wir kamen auch ins Geplauder, doch blieben die beiden – bei allem Witz – ihren zeitgenössischen Sorgen untertan. Sie ließen mich mit dem toten Holz allein. Oder vergraulte ich sie, indem ich allzu ausführlich gegenwärtige Schadstoffstatistiken wörtlich nahm? Mortalitätsmuster der Weißtanne. Feinwurzelfäulnis der Buchen.

Was alles den Regen sauer macht: Die Wolke als Faust überm Wald.

Stur konzentrierte ich mich aufs Hinsehen. Indem es lag, fiel dem toten Holz mehr ein, als sich in Skizzen festhalten ließ. Weiterführende Zeichnungen hatten Zeichnungen zur Folge, die keine ablenkende Stimmung duldeten und Schwärze bei Gegenlicht beschworen. Ich zeichnete mit sibirischer Reiß-kohle, einem Holzprodukt. Für Pinsel- und Rohrfederzeich-nungen benutzte ich natürlichen Sud, gewonnen aus frischer Tintenfischtinte. Während ich zeichnete, rauchte ich: wie immer zuviel.

Hinsehen, wieder die Skizzen befragen. Nur nicht abstrakt werden. Dinglich bleiben. Du bist Augenzeuge. Sonst ist hier niemand. Was knackt, lebt nicht mehr. Allenfalls Borkenkäfer, die sich wie du vom toten Holz nähren. Was von den Birken blieb: Scham. Fichten, die auswandern wollten, kamen nicht weit. Diese Buchen, wie sie leibhaftig überkreuz liegen, hätten deinem Großvater, dem Tischlermeister, das kalkulierende Herz gebrochen. Was fällt dir noch ein lauthals gegen die Stille? Tannhäuser. Die Waldheimaffäre. Buchenwald. Im toten Wald »Waldeslust! Waldeslust!« rufen.

Oder das Vertraute spiegelverkehrt sehen. Wie sich der Zeichner seinen Motiven nähert. Oft geht er ihnen tagelang aus dem Weg. Indem er sie meidet, spart er sie auf. Er blinzelt vor-bei. Er hofft, sie könnten verschwinden, ihm gestohlen bleiben. Etwa diese Fichten am Waldrand, zur Heide hin, deren Wur-zeln weggefault sind und deshalb beim letzten Nordwest... Windbruch sagen dazu die Förster. Nun liegen sie, von hier aus gesehen, im Hochformat. Wie um das Wort radikal ans Licht zu bringen: Wurzeln, die himmelwärts zeugen. Was ihm die Sprache verschlägt, wertet der Zeichner aus: Ein auf Befehl erstarrtes Birkenwäldchen. Mehrmals (im Querformat) die Stämme auf halber Höhe gekappt. Jetzt ist der Zeichner vorübergehend zufrieden.

Kahlschlag in unseren Köpfen. Was bringt Menschen dazu, Wälder sterben zu lassen? Unter Bedauern, gewiß, aber doch achselzuckend, als habe der Wald sich ohnehin überlebt, ein Fossil. Jemand, der vorgibt, in großen Zeiträumen zu denken, sagt: Die Natur wird sich schon zu helfen wissen. Außerdem hat sich der Wald in unserer Kultur konserviert: in Gedichten ungezählt, im deutschen Lied, in Gemälden, die in klimatisierten Museen hängen, in unseren Märchen... Hier, genau hier (im Erzgebirge) hat sich Rumpelstilzchen sein Bein ausgerissen.

Als ich dort, zwischen Zinnwald und Gottgetreu, zeichnete, bestand die DDR noch in ihrer selbstgewissen Machtfülle, doch ließen die Zwänge schon nach: Materialermüdung. Wir kamen, wie einst der Maler Caspar David Friedrich, wenn er fromme Fichten skizzieren wollte, von Rügen her und fuhren über Dresden. Von dort führt diese strategisch wichtig gewordene Straße übers Erzgebirge direkt nach Prag. Zweimal folgten ihr in diesem Jahrhundert deutsche Soldaten mit klarem Auftrag; die Tschechen erinnern sich.

Dann zerfiel von Tag zu Tag die Staatsmacht der Deutschen Demokratischen Republik, während ich zwangsläufig Blatt nach Blatt totes Holz zeichnete. Das färbte auf Untertitel ab. Wenn man im Oberharz von Deutschland nach Deutschland schaut, sind die Waldschäden verwandt und ist die Wiedervereinigung schon vollzogen. Mit Glasnost in den Wäldern beginnen!

Als das Volk in Leipzig, Dresden, Berlin rief: »Wir sind das Volk!«, stand auf einem der Transparente: »Sägt die Bonzen ab, schützt die Bäume!« – Auch wenn nur die Bonzen des einen Staates gemeint waren, wüßte ich Bonzen des anderen Staates genug und überall schutzbedürftige Bäume; nur fehlt es am Volk, das riefe: »Wir sind das Volk!«

Schon lange vor Leipzig: Von Montag zu Montag knicken sie ein, stürzen, zeigen schamlos die Wurzeln vor, abgestorben seit langem. Jeder Baum besteht fallend darauf, anders zu liegen. Der Zeichner ist dankbar für so viel Hinfälligkeit. Auch die noch stehen, weil sie von oben herab absterben, sind, oft zu Stummeln verkürzt, verschiedener Gesten mächtig: Dieser Baum klagt an, dieser vergeht vor Scham, ein anderer verrät noch als Torso seine einst weitausladende Schönheit, und der hier läßt sich Mitleid aufschwatzen. Alle, behauptet der Zeichner, rufen Erbarmen.

Doch dafür ist es zu spät. Wir haben keine Zeit, uns Sentimentalitäten zu leisten. Voranmachen müssen wir, sonst laufen uns die Japaner, die Koreaner, überhaupt die Asiaten davon. Allenfalls sinngebende Trostpflaster: Stirb und werde. Zeilenschindende Innenschau. Von Lehrstühlen herab das Erhabene feiern. Oder den Dichter Handke um heilende Wörter bitten.

Als ich Anfang April im Oberharz, Ende Juli im Erzgebirge zeichnete, war das Wetter veränderlich. Nach kurzem Aufklaren – lang genug für eine Skizze –, fiel im Harz Schneeregen, überraschten im Erzgebirge, wo wir in Göschels von Mäusen bewohnter Zuflucht hausten, heftige Regenschauer. Tiefziehende, geballte, an keiner Staatsgrenze zögernde Wolken kamen aus westlicher, nordwestlicher Richtung, hatten sich unterwegs angereichert, waren gesättigt, brachten mit sich zollfrei. Letzte Ausschüttung: Dividende. Die Wolke als Faust überm Wald.

Es heißt: Mit den Wäldern sterben die Menschen aus. Ich glaube das nicht. Die sind zäher und können mehr einstecken, als sie sich zufügen. Nach längerem, nach kurzem Erschrecken (zuletzt nach Tschernobyl) gingen sie unverändert – es war ihnen wirklich nichts anzusehen – zur Tages-, zur Geschäftsordnung über, erfreut, weil die altbekannten Sachzwänge handlich geblieben waren. Nur als das Robbensterben in der Nordsee wochenlang leicht lesbare Zeitungen stimulierte, war die neueste Stimmung im Westen annähernd vorrevolutionär. Später, als andere Schrecken Saison hatten, hieß es: Sie seien nicht umweltvergiftet verreckt, vielmehr habe eine Art Grippe die niedlichen Heuler erwischt.

Der Zeichner wählt aus. Hier ist es beginnende Nadelbräune, die allenfalls Spezialisten auffällt: ein Krankheitssymptom, das, nach Prozenten berechnet, Statistiken sättigt. Auch hier sieht es, trotz der zu Storchennestern verflachten Gipfel einst gotisch entworfener Fichten, noch relativ aus, verglichen mit Kammlagen, die sprachlos machen und auf den Zeichner warten. Er will es deutlich, augenfällig haben. Ihn zieht, sobald die Sieger abgezogen sind, das Schlachtfeld an. Wo es wüst aussieht, ist sein Ort. Das macht ihn auf wütige Weise glücklich, wenn er mit seinem knirschenden Holzprodukt Verluste melden kann. Hier, zum Beispiel, auf dem Sonnenberg, der kahl mehr Aussicht bietet.

Dann lag zu Hause die Eule im Kamin. Wir hatten versäumt, den Schornstein mit einem Dohlengitter abzudecken. Äußerlich heilgeblieben, ohne besonderen Geruch, den Eulenblick zu Schlitzen verengt, die Greifkrallen im hellen Flaum der Unterseite gebettet, so bot sie sich letztlich an. Ich zeichnete sie allseits mit Blei, stinkender Tintenfischtinte, mit Kohle. Dann legte der Zeichner die tote Eule zwischen und vor totes Holz. Er ließ sie zur Wolke werden, die über starren Baumstümpfen (zwischen Zinnwald und Gottgetreu) abregnet. Die Eule als Faust geballt überm Wald.

Und überall Silbenschwund, Lautverfall, weil auch uns dieser Regen trifft, den wir sauer nennen. Verluste abschreiben. Bilanz ziehen. Im vergangenen Jahr – reich an Ereignissen – zählte Rumänien plus Panama gleich Weihnachten. Es ist zum Heulen. Doch weil es zu oft zum Heulen ist, gewinnt zusehends das kleine tapfere Durchhaltelächeln. Immerhin rüsten sie an den Rändern ab. Wirtschaftlich geht es uns bestens. Und auch sonst ist, seitdem die Mauer fällt, alles offen. Die drüben müssen uns das nur nachmachen, dann geht es auch ihnen bald bestens wie uns. Und weg von ihrer Braunkohle müssen die. Und endlich begreifen, daß Leistung nur zählt. Und keine Berührungsangst haben; wir beißen ja nicht. Und gäbe es nicht diesen Spielverderber, Ozonloch genannt, dem wir immerhin einen Sommer verdanken, der nicht enden konnte; und wenn die da unten am Amazonas endlich aufhören wollten, mit ihren Kettensägen, von denen viele deutsche Produkte von Qualität sind, ihren Urwald, der schließlich auch unserer ist, abzuholzen, einfach abzuholzen; und wenn man in Indien (und sonst wo noch) endlich begreifen würde, daß man sich nicht wie die Kaninchen, dazu viel zuviele Kühe, nein, nicht nur Milliarden Spraydosen und Kühltruhen, sondern Kühe, die Kühe auch,

die unser aller Ozonloch immer größer und größer machen;
und wenn nicht endlich ein Wunder geschieht...

Der Zeichner zögert. So durchsichtig, bald gläsern, spröde
zerbrechlich (dem nächsten Wind übers Knie) gelingen Wälder
auf weißem Papier. Immer aufrecht, gut erzogen. Sachlage
nun, wegräumen!

Bücher von Günter Grass im Steidl Verlag

In Kupfer, auf Stein
270 Seiten, 300 Abbildungen, 45,– DM

Das komplette druckgraphische Werk von Günter Grass, an die 300 Radierungen und Lithographien, hier kann es betrachtet werden. Die Motive, die inzwischen geradezu Embleme der Texte dieses Autors geworden sind – die Schnecken, Fische, Pilze, Federn, Ratten usf. –, hier können sie in ihrer vielgestaltigen Entwicklung und immer neuen Variation studiert werden. Eine bessere Einführung in die bildlichen Obsessionen des Schreibers/Zeichners Grass (»Ich zeichne immer, auch wenn ich nicht zeichne, weil ich gerade schreibe«) ist nicht vorstellbar. Zumal, da sie abgerundet wird durch ausführliche Informationen zur technischen Seite der graphischen Kunst und eine fundierte ästhetische Analyse der Grass'schen Bildwelt.

Mit Sophie in die Pilze gegangen
Großformat, 38,– DM

Daß bei Günter Grass, wie er sagt, »oft am Anfang eines Gedichts die Zeichnung steht . . . oder umgekehrt«, läßt sich in diesem Band besonders eindrücklich nachvollziehen: Gezeichnete und geschriebene Metapher befruchten einander wechselseitig. Hier ist die des Pilzes vorherrschend; die Organe der Lust und der Geburt werden ihr bildnerisches Feld; sie wird gleichsam durchkonjugiert in ihrer Möglichkeit, diverse körperlich-sinnliche Grunderfahrungen zeichnerisch wie sprachlich zu fassen. Die Mann-Frau-Beziehung und weitere Themen und Motive des Romans »Der Butt« finden sich somit in diesem lyrisch-lithographischen Zyklus verdichtet formuliert.

Skizzenbuch
224 Seiten, Leinen, 28,– DM

Für Günter Grass sind Zeichnen und Schreiben eine Einheit; das eine erwächst aus dem jeweils anderen, bildet dessen Anregung, Ergebnis und Korrektiv. Aus den Monaten von Grass' Aufenthalt in Calcutta stammen die hier als *Skizzenbuch* gesammelt vorgelegten Zeichnungen: Stenogramme der Alltäglichkeit einer indischen Millionenstadt, paradigmatisch für die Misere des Lebens in der Dritten Welt. Was Grass hier mittels Stift, Feder oder Pinsel aufs Papier geworfen hat, ist spontane Reaktion aufs Gesehene, frei von stilistischen Prätentionen. In seinen Momentaufnahmen menschlicher Gestalten – kauernder, schlafender, leidender, sterbender – erscheinen die Emotionen des Betrachters mit: Anteilnahme, Abscheu, Scham.

Rudolf Augstein · Günter Grass
Deutschland, einig Vaterland?
96 Seiten, Taschenbuch, 9,80 DM

In einem spannenden Streitgespräch werfen die Autoren das Für und Wider der Vereinigung der beiden deutschen Staaten auf. 1960 rief der Philosoph Karl Jaspers bundesweite Entrüstung hervor, als er öffentlich die Freiheit in der »Sowjetzone« höher einstufte als die Wiedervereinigung. Die akademische Frage von damals ist zur Herausforderung der praktischen Politik geworden. Augstein, schon vor 30 Jahren in dieser Debatte engagiert, sieht in der deutschen Einheit die unausweichliche Konsequenz; Günter Grass tritt dem »Wiedervereinigungstaumel« entgegen und reklamiert für die DDR das Recht auf Eigenständigkeit als Folge der selbsterkämpften Freiheit.

Tschingis Aitmatow · Günter Grass
Alptraum und Hoffnung
Zwei Reden vor dem Club of Rome
80 Seiten, Taschenbuch, 7,80 DM

»Globale Industriegesellschaft – Vorbild oder Alptraum«; zu diesem Thema erfaßte der Club of Rome die Gefahren, die der Menschheit aus dem Streben der ›unterentwickelten‹ Länder erwachsen, die Industrialisierung der Industrienationen nachzuholen. Als Folge der globalen Industrialisierung kündigt sich ein rapider Wandel der Lebens- und Arbeitsbedingungen an, die kulturelle Identität ist bedroht und eine verheerende ökologische Katastrophe bahnt sich an. Die Wissenschaftler aus aller Welt hatten auch zwei Schriftsteller eingeladen, um auf dem Kongreß zu sprechen: Tschingis Aitmatow und Günter Grass. Ihre Reden sind hier dokumentiert.